图书在版编目（CIP）数据

刘兴诗爷爷讲星空. 秋 / 刘兴诗文；一叶一画绘
. -- 北京 ：中国致公出版社，2020
　　ISBN 978-7-5145-1546-6

　　Ⅰ．①刘… Ⅱ．①刘… ②一… Ⅲ．①天文学－儿童
读物 Ⅳ．①P1-49

　　中国版本图书馆CIP数据核字(2019)第236450号

刘兴诗爷爷讲星空. 秋 / 刘兴诗文；一叶一画绘.

出　　版	中国致公出版社	
	（北京市朝阳区八里庄西里100号住邦2000大厦1号楼西区21层）	
出　　品	湖北知音动漫有限公司	
	（武汉市东湖路179号）	
发　　行	中国致公出版社（010-66121708）	
图书策划	李　潇　周寅庆　李　爽	
责任编辑	周寅庆	
装帧设计	李艺菲	
印　　刷	武汉市金港彩印有限公司	
版　　次	2020年7月第1版	
印　　次	2020年7月第1次印刷	
开　　本	787mm×1092mm　1/12	
印　　张	4	
字　　数	60千字	
书　　号	ISBN 978-7-5145-1546-6	
定　　价	45.00元	

刘兴诗爷爷讲星空

刘兴诗 文
一叶一画 绘

秋

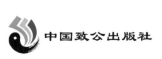
中国致公出版社

仰望星空

刘兴诗

星空，多么神秘、多么遥远。一颗颗亮晶晶的星星，好像远方的精灵，一闪一烁，诱引着孩子们的心。世界上没有一个孩子不喜欢天上的星星，不想知道星星的秘密。

奶奶讲的牛郎织女的故事是真的吗？银河是不是一条河，里面有水吗？古诗和民间传说里提到的许多星空神话，到底是怎么一回事？

一个个星空的问题，把孩子们的心儿搔得痒痒的，得好好给他们讲一下星空的知识才好。

请记住，这是孩子们的需要，也是一个崭新时代的要求。我们正面临的，是一个大宇宙的时代。需要许许多多未来的哥伦布，去认识和发现宇宙空间的新大陆。不言而喻，在这样的时代来临时，天文学的基本知识多么重要。

学习天文学从哪里起步？先从咱们头顶的星空开始吧。

满天星斗密密麻麻的，怎么认识清楚呢？有办法！我们的老祖宗早就把天上的恒星划分为三垣、四象、二十八宿，这样就容易认识了。三垣就是北方天空中的紫微垣、太微垣和天市垣。四象、二十八宿是这么划分的：

东方苍龙包括角、亢、氐、房、心、尾、箕，七个宿。

南方朱雀包括井、鬼、柳、星、张、翼、轸，七个宿。

西方白虎包括奎、娄、胃、昴、毕、觜、参，七个宿。

北方玄武包括斗、牛、女、虚、危、室、壁，七个宿。

西方的观星方法则是划分许许多多的星座。其中北天拱极星座5个，北天星座19个，黄道星座12个，赤道带星座10个，南天星座42个。每一个星座都有自己的故事。

听说过斗转星移这句话吗？尽管天上的恒星位置没有变化，可是由于我们的地球在咕噜噜转动，随着时间变化，看见的天上的星星不一样。

我们在这儿介绍的每月星空，一般是每个月开始的1日晚上9点，15日晚上8点，30日傍晚7点钟左右，出现在头顶的星空图景。

手里拿着一张星图，怎么看？请你按照上面所说的规定时间，把星图倒拿在头顶，图上的方向和真实的方向一个样。这时候，就可以用星图对比天上的星星，一个个找出来了。如果早一个小时，就把头顶倒拿的星图，顺时针方向移动15度就成啦。如果晚一个小时，就把星图逆时针方向移动15度。

书中的四季是怎么划分的呀？本书中的四季是以我国传统的二十四节气为标准划分，立春、立夏、立秋、立冬分别为四季之首。

但你会疑惑，2月立春了，可是为什么有的地方还在下雪呀？8月秋天来了，为什么有的地方还这么热呢？这是由于我国地域太辽阔了，各地气候不一，按照"四立"划分的四季与实际气候并不完全符合的缘故。

书中还有许多许多秘密，请你翻开这四本书，一页页看下去吧。

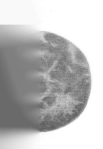

目录
contents

扫码免费得 8 节星空小课！

第一课
漫游宇宙指南

第二课
我们来观星

第三课
寻找北斗七星

第四课
星座不止十二

第五课
星座背后的故事

第六课
星星的秘密

第七课
神奇的天体

第八课
人类漫漫通天路

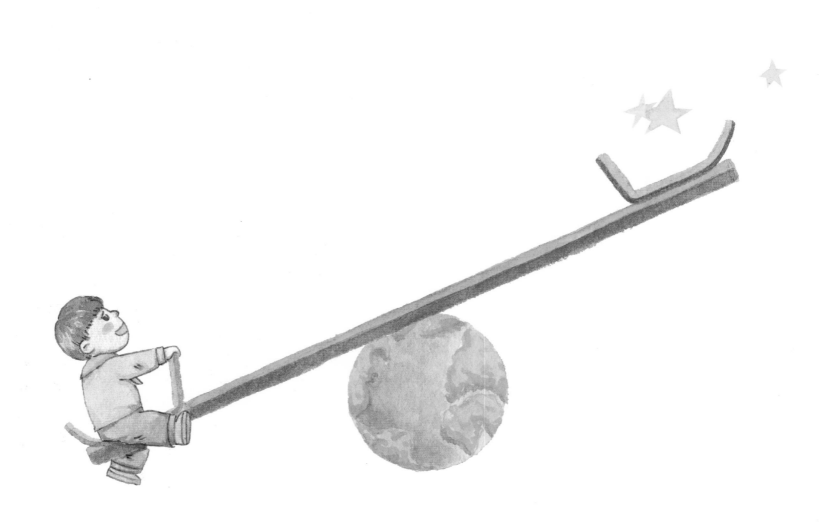

8 月星空的武仙座

武仙座，北天星座之一，面积约 1225 平方度，在全天 88 星座中居第 5 位，武仙座虽然在天空所占的面积很大，但并不太亮。

初秋的夜晚，天气渐凉，一只巨大的蝴蝶在天空中若隐若现，仿佛夏天的蝴蝶飞到了天幕中去。

古希腊人说这是大英雄赫拉克勒斯的身躯，你看他一条腿半跪着，右手高举着大木棒，左手紧紧攥着九头蛇，威风无比。

这个既像蝴蝶又像人形的星座就是大名鼎鼎的武仙座。赫拉克勒斯虽然是大英雄，但他在天空中也不过分张扬，所以看上去并不十分明亮。

武仙座里大探秘

观星小指南

武仙座的形状既像一个人，又像一只蝴蝶，还像一个反写的"K"，你找到了吗？

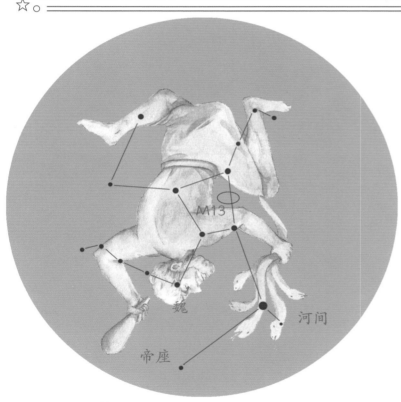

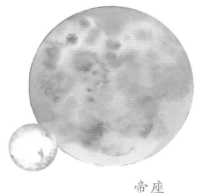

帝座

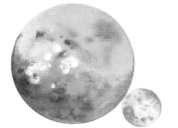

魏

众多双星系统

武仙座的 α 星，中文名是帝座，它是一对双星，由一个红巨星和一个泛着绿光的白色伴星组成。光线变幻不定，亮度的平均变化周期是 88 天。武仙座里还有几对双星，比如武仙座的 γ 星（中文名河间）、武仙座的 δ 星（中文名魏）等。

河间

夜空中反写的"K"

蝴蝶一样的武仙座，好像一个反写的"K"，在夏秋的星空中很容易辨认。

星系团

武仙座星系团

武仙座星系团并不存在于武仙座内，而是在武仙座的观测方向上，这些星系和武仙座内部的恒星不一样，它们非常遥远，肉眼观测不到。这些星系中有富有气体的年轻的旋涡星系，也有年老的椭圆星系。

M13

古老而明亮的星团

武仙座在天空的面积很大，亮星匮乏，但是天空中最精致的球状星团就位于武仙座。武仙座的腰身右边有一个北半球最亮的球状星团之一——M13，它是一个古老的星团，里面有成千上万颗恒星。

小贴士　　**超新星爆炸是什么？**

武仙座虽然很大，却并不太亮。20世纪30年代，人们曾经观察到武仙座中有超新星发生爆炸，散放出耀眼的亮光，可是没多久就悄悄暗淡了。

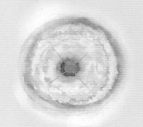  

我们都知道，星星是不断燃烧的，就像人的成长一样。当星星进化到最后的阶段，将其聚在一起的引力不能对抗内在燃烧的张力，就会发生爆炸，发出耀眼的光和热，这个过程相对于星星的生命很短暂，只会有几周或几个月的时间。

如果银河系中有一颗超新星爆炸，它的光芒甚至可以和太阳相媲美，那时候天空中就会有两个太阳。

古代的武仙座

在古代，人们想象天上有市集——天市垣。这是一块靠近银河的区域，包括了武仙座、蛇夫座等星座。

武仙座的主星在中国古代被称为"帝座"，位于天市垣的中心，是天帝管理天市时所坐的座位。

古人认为帝座这颗星星对应着人间皇帝的座位，象征着皇帝座椅的光芒。帝座这颗星星的光芒变幻不定，当它暗淡时，人们就说王朝正在衰微；当它明亮时，人们就认为王朝十分强盛。

古希腊时，天文学家把北半球区域的星座确定了下来。天文学家托勒密综合前人的天文学研究，编制了48个星座，并用假想的线条将星座内的亮星连起来，想象成动物和人的形象。古希腊人将武仙座想象成神话里的大英雄赫拉克勒斯。

8月武仙座在夜空中时，正值孟秋时节，包括太阳运行到黄经135度和黄经150度时的两个节气，即二十四节气中的立秋、处暑。

处暑，暑气退散，万物开始凋零，老鹰开始大量捕食鸟类，五谷逐渐成熟。

立秋，是秋季的开始。从这时候起，天气开始转凉，田间的作物逐渐成熟，棉花也开始吐絮。秋雨过后，气温下降，夜晚凉风起，清早有晨雾产生。

观测武仙座最好的时间是七八月份，浪漫的七夕节也在这时候。这时可以看到天空中最大的星座——武仙座，牛郎星和织女星也正在缓缓升起。

大英雄赫拉克勒斯

　　在希腊传说中，大英雄赫拉克勒斯是众神之王宙斯的儿子。他生在人间，半人半神，力大无穷。天后赫拉嫉恨他，派出两条毒蛇想要杀害他，但毒蛇被还在摇篮里的赫拉克勒斯轻而易举地捏死了。赫拉克勒斯是名副其实的天选之子。他跟随老师们学习了各种本领，不管是骑马、射箭、角力、击剑，还是弹琴、歌唱，他都是一把好手。宙斯想把他带到天上，这使得天后赫拉更加嫉恨他，于是要求赫拉克勒斯必须完成 12 件她指定的事情，才能成为奥林匹斯的神。

　　赫拉克勒斯毫不犹豫地答应了。

第一件，杀死墨涅亚森林里的巨狮。

第二件，制服怪物九头蛇。

第三件，活捉铜蹄金角的马鹿。

第四件，抓住凶恶的野猪。

第五件，清扫干净几十年没有打扫的牲畜圈。

第六件，赶走有青铜嘴和爪子的怪鸟。

第七件，活捉一头怪牛。

第八件，打败一个拥有四只吃人怪兽的国王。

第九件，进入女儿国，夺走女王的金腰带。

第十件，一箭射死一个三头六臂的吃人恶魔。

第十一件，从一个神秘的花园里取到金苹果。

第十二件，大胆闯进地府，抓住三只恶狗。

赫拉克勒斯完成了这 12 件事情以后，成为人间口口相传的大英雄。他的身躯升上了天空，成为灿亮的武仙座，当然，他也成为奥林匹斯的神。

星星小知识

这是一组星星的颜色与表面温度的对应关系：
赤：2600℃~3600℃；橙：3700℃~4900℃；
黄：5000℃~6000℃；黄白：6100℃~7600℃；
白：7700℃~11500℃；蓝白：12000℃~25000℃；
蓝：25000℃~40000℃

星星的颜色是一样的吗？

我们肉眼看到的天上的星星，好像都是黄色或银白色，没有什么颜色的区别，其实星星真实的颜色区别可大了。

星星不同的颜色常常代表不同的温度。从红色、橙色、黄色、黄白色、白色、蓝白色到蓝色，通常来说，星星的色调越冷，星星表面的温度越高。

天琴座的织女星发白色的光，其实表面温度差不多有10000℃；天蝎座那颗亮亮的心宿二，从它的赤红色就可知道它的表面温度不会超过3600℃。

星星的年龄

　　一颗星星的颜色不一定是固定的。以猎户座右肩上的一颗恒星——参宿四为例，《史记》中记载，2000多年前的汉代，参宿四是黄色的，可是今天我们观测到的参宿四是橙红色的。

　　在实际观测中，天文学家发现，星星的颜色不仅代表温度，有时候还可以代表星星的年龄。参宿四这颗星星从壮年走向老年，温度在逐渐降低，色调在逐渐变暖。不过星星的寿命很长，我们终其一生也不一定能看到它们的颜色变化。

9月星空的
天琴座和天鹰座

天琴座和天鹰座分立银河两边，各自拥有织女星和牛郎星。天琴座是北天银河中最灿烂的星座之一；天鹰座是黄道周边的星座之一，大部分在银河中。天琴座和天鹰座隔银河相望，就像古代神话中的织女和牛郎一样。

看！ 天空中正横卧着一条淡淡的银河，数不清的星星在其中遨游，中秋节快到了。

圆月还没有升上来时，最亮的是隔着银河相对的两颗星星——织女星和牛郎星。

织女星位于天琴座，它是天琴座最亮的一颗星。 牛郎星位于天鹰座，它也是天鹰座最亮的一颗星。

我们的祖先说织女星和牛郎星代表织女和牛郎这一对被迫分离的爱人，他们只能隔着银河遥遥相望。

天琴座、天鹰座里大探秘

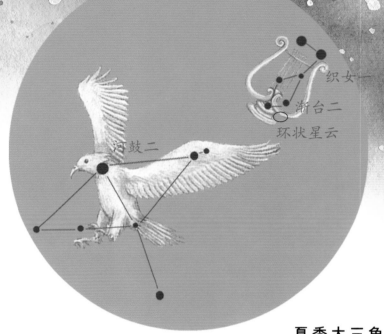

织女一
渐台二
环状星云
河鼓二

观星小指南

天琴座形成了一个倾斜的四边形，在这个四边形尾巴上，有一颗最亮的星星——织女星，它很容易被找到；天鹰座位于银河带，顶部形成了一个倒立的"V"，代表鹰头和翅膀。我们可以在秋天的银河附近来寻找它们的身影。

天津四

夏季大三角

天琴座的织女星、天鹰座的牛郎星和天鹅座的天津四，排列成三角形，共同组成一个巨大的"夏季大三角"，十分引人注目。

明亮的织女星和牛郎星

渐台二

我们熟悉的织女星是天琴座的 α 星，也叫织女一，它是天空第 5 亮的星星，更是北天星座里第 2 明亮的恒星。夏秋季节，你很容易在天空中发现它。

牛郎星，是天鹰座的 α 星，中文名字又叫河鼓二。它距离地球仅有 16.8 光年，这颗白色的星星处于高速旋转的状态，它的中部（也就是赤道地带）是隆起的。

织女一
（织女星）

环状星云

夏季大三角

河鼓二
（牛郎星）

趣味双星渐台二

天琴座里还有两个特别有趣的星星，中文名字叫渐台二。这是挨靠得很近的双星，每一个的质量都很大，好像两个大胖子，不声不响地在宇宙里跳双人舞。它们靠得太近了，各自的大气也互相掺和在一起。

绚丽的彩环

小朋友们，用肉眼我们只能看到"夏季大三角"，但是离"夏季大三角"很近的地方，其实还有个美丽异常的环状星云，用小型望远镜就能观测到哦。环状星云光环的内边缘为蓝绿色，外边缘为红橙色，两边缘之间的中间部分是淡淡的黄色，宛如一个精致的工艺品。

古代的天琴座和天鹰座

在中国古代，织女星、牛郎星都属于牛宿，是北方玄武七宿——斗、牛、女、虚、危、室、壁中的第二宿。

牛郎星被称为河鼓二，它和河鼓一、河鼓三排成一条直线，好像一根长长的扁担。

北方玄武

古希腊人把天鹰座想象为一只在夜空中展翅翱翔的苍鹰；而天琴座是古希腊乐师弹奏的竖琴。

织女星曾经有一段光辉的历史。大约在公元前12000年，它曾经是北极星。天文学家计算，再过12000年左右，它还会成为新一代的北极星。

天琴座和天鹰座观测的最佳时节是仲秋，仲秋包括太阳运行到黄经165度和黄经180度时的两个节气，即二十四节气中的白露、秋分。

秋分，抢收秋收作物，早播越冬作物。秋分后，天气变得干燥，春分时出洞的动物退回到洞里，准备过冬。

白露，气温下降，阴雨绵绵，燕子等候鸟开始向南飞以避寒冬，动物开始储存过冬的粮食。

每年秋季的中期就是中秋节，中秋又被称为仲秋。中秋节在中国人的心中是仅次于春节的团圆日子，这一天的月亮格外圆，人们仰望如玉盘般的皎皎明月，享受与家人的团聚。

七弦琴声里的爱情

希腊神话中太阳神阿波罗送给儿子——歌神俄耳甫斯一架七弦竖琴，它弹出的音乐能让石头动容、草木葱茏，掀起鸟兽浪潮。他用琴声成功得到女神欧律狄克的芳心，他们度过了快乐甜蜜的新婚时光。

有一天，欧律狄克外出的时候被一条毒蛇咬死。俄耳甫斯赶到后悲痛欲绝，他决心去冥界（死后的人去的地方）救回妻子。

到了冥界后，俄耳甫斯用竖琴在冥王、冥后面前弹奏着自己对妻子的爱情，乐曲感动了冥王、冥后，于是冥王、冥后答应了让他的妻子重回人间。同时冥王警告他，在走出冥界以前，他的妻子会跟在他后面，但千万别回头！别回头！

俄耳甫斯带着妻子走呀走，越走越想回头看：妻子真的在身后吗？

他将冥王的警告抛在脑后，情不自禁地回头看了一眼，妻子一下子就消失在了黑暗中。这下，他们永远也不能相见了。

俄耳甫斯非常悲伤和悔恨，隐居在岩穴之中，孤零零地死了。他的父亲阿波罗请求天帝宙斯把儿子的七弦琴挂在空中以纪念他的爱情。于是七弦琴成为灿烂的天琴座。

仔细看这个星座，织女星和附近的几颗星星排列在一起，真的像一架七弦琴。

星星小知识

秋 夕

杜牧（唐）

银烛秋光冷画屏，
轻罗小扇扑流萤。
天阶夜色凉如水，
坐看牵牛织女星。

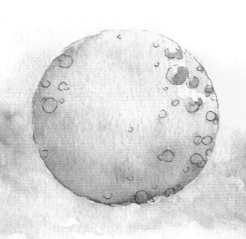

我们知道，牛郎星和织女星分别在天鹰座和天琴座。织女星在银河西岸，牛郎星在银河东岸。这两颗星星都很明亮，中间隔着银河，跟人们想象中的神话故事对应了起来。

传说，人间的放牛郎和天上的仙女相爱了。王母娘娘一怒之下，取下头上的簪子，划下一道广阔的银河，让牛郎织女不能相会，只能隔着银河远远相望。但他们的爱情感动天地万物，无数的喜鹊飞过来搭成了鹊桥，让他们在一年一度的七夕相会。

牛郎星旁边的几颗星星组成一字形，人们说这是牛郎的扁担。古人的想象力真丰富，将星星们和牛郎织女的故事联系在一起，也帮助我们记住了这些星星。

织女星旁边的银河里，有一个"Y"形的小小星组，好像一支短短的箭，正沿着银河流动的方向飞去。人们说，这就是织女织布的梭子。

古诗十九首·迢迢牵牛星

佚名（汉）

迢迢牵牛星，皎皎河汉女。
纤纤擢素手，札札弄机杼。
终日不成章，泣涕零如雨。
河汉清且浅，相去复几许？
盈盈一水间，脉脉不得语。

其实牛郎星和织女星相距达 16 光年之遥，就算没有银河阻隔，两颗星要想见上一面，也遥遥无期。每年的七月初七，半个月亮正悬在银河附近。月光使我们看不见银河，古人便以为这时天河消逝，牛郎织女于此时相见了。这时候，民间就过着七夕节，它是中国最古老的"情人节"。

10 月星空的天鹅座

　　天鹅座，北天星座之一，面积 804 平方度，在全天 88 星座中排名第 16 位，它完全沉浸在白茫茫的银河之中，位于银河带的中间。

10 月的夜空中，穿梭着一只白天鹅，它张开翅膀在星空中飞翔，姿态非常优美。

天鹅座几乎沉浸在银河之中，它与银河两岸的天琴座和天鹰座三足鼎立，我们不难找到它。

天鹅座像一个十字架。过去人们称它为"北十字"。

夜空中的天鹅座像一只展翅的天鹅，它侧着身子由东北方升上天空，到天顶时头指南偏西；移到西北方时，变成头朝下尾朝上，没入地平线。

天鹅座里大探秘

观星小指南

北十字其实是天鹅座的一个星组，天鹅的尾巴天津四是夜空中最亮的星星之一。这只天鹅展翅翱翔在银河之中。小朋友，你找到它了吗？

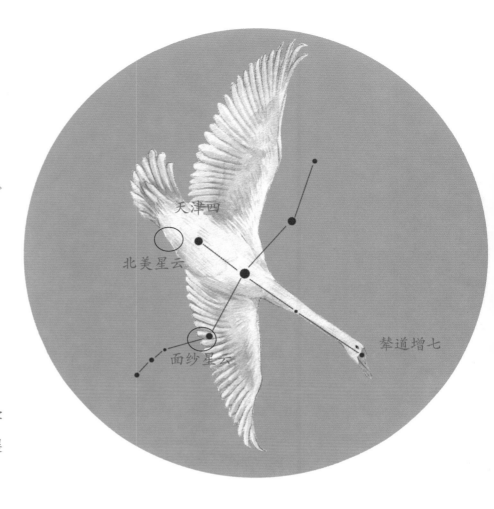

鲜明而宏大的"北十字"

天鹅座的主星排列得很像一个大十字架，十字架那长长一竖是天鹅优美的脖子，一横则是天鹅展开的双翅。

天津四

明亮的天津四

天鹅座位于银河带的中间，最明亮的是它的 α 星，中文名字是天津四。它位于天鹅的尾部，是一颗明亮的蓝白色恒星，距地球大约 3200 光年。

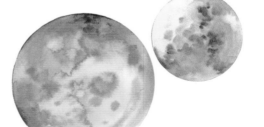

辇道增七

美丽的双星

天鹅座的喙部，有一对著名的双星叫辇道增七，它又被称为"鸟嘴星"，透过小型望远镜就能看见这对色彩美丽的双星。

28

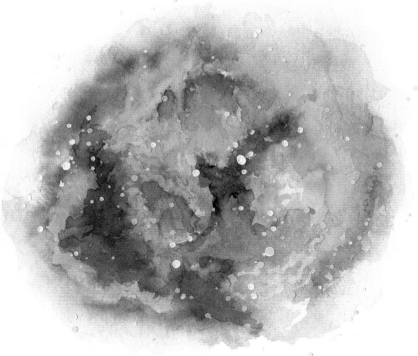

北美星云

神秘的星云

人们在天鹅座中发现了很多深空天体和各种星云。其中有一个形状很像北美洲大陆的星云，俗称北美星云。它在黑暗的天空下使用望远镜就可以看见，我们可以很容易地找到墨西哥湾的轮廓。

面纱星云像一层薄薄的面纱，覆盖在天鹅座中。模糊的面纱实际上是膨胀的炽热气体，它独特的环状外形使它获得了另一个外号：天鹅圈。

面纱星云实际上就是一种稀薄的不规则的气体星云，是一个巨大的超新星爆炸后的残骸。面纱星云的视星等约 7 等，它分布得很散，显得有些暗淡。

面纱星云西北部的边缘还有一块很明亮的区域，看起来像女巫的扫帚。

面纱星云

古代的天鹅座

北方玄武

天鹅座的几颗亮星搭成了一个十字形，把十字架想象成为一种鸟是顺理成章的。在古希腊，天鹅座就已被描绘成一只天鹅。在阿拉伯《一千零一夜》中辛巴达航海故事里，它曾被描绘成"大鹏鸟"。

在中国古代，天鹅座中的天津四属于北方玄武七宿中的女宿。

天鹅座的主星在中国古代被称为天津四。"天津四"的命名可上溯到西汉，古人夜观天象，发现银河当中有颗明亮的恒星，与周围星组成舟形，便得"津"名。

"津"有桥梁、渡口、摆渡船的意思，加之它又在天上的银河中，于是人们给它起名为"天津"，意思是跨越银河的桥梁。

天鹅座到来，正值季秋时节，包括太阳运行到黄经195度和黄经210度时的两个节气，即二十四节气中的寒露、霜降。

霜降，天气渐冷，开始有霜，树上的叶子都已枯黄掉落，蛰伏的虫子们开始进入冬眠状态。

寒露，天气转凉，露水渐多，排成人字形的鸿雁开始南迁，林子里的雀鸟都不见了，菊花也竞相开放了。

每年的重阳节正值季秋时节。古人在丰收之时设立了这个节日。现在，重阳节有登高赏秋和感恩敬老两大主题。趁着天气尚好的时候，出游赏秋，登高远眺，观赏菊花吧。

公主与天鹅

希腊神话传说中，天帝宙斯被公主勒达的美貌吸引，心生爱慕。但他担心被生性善妒的天后赫拉发现，就想了一个计策，将自己变成了一只洁白的天鹅。

这天，公主勒达正在岛上游玩，忽然从白云间飞出了一只天鹅，这正是宙斯变成的。

天鹅飞到了勒达旁边，勒达见它羽毛洁白，身体柔软，机灵活泼，十分可爱，于是爱不释手，一遍又一遍地抚摸它，心中充满了幸福，不知不觉就抱着天鹅进入了梦乡。

　　勒达醒来后就要回宫殿了，天鹅只好恋恋不舍地离开了她，展开强壮的双翅飞向天空。

　　后来，勒达遵从父王之命，嫁给了斯巴达国王为妻，一生幸福美满。宙斯为了纪念这一段感情，就把当年自己化身的天鹅留在天上，成为星河中灿烂的天鹅座。

星星小知识

南北十字架

　　北半球的天空中有天鹅座的"北天十字架"，南半球的天空中也有一个"南天十字架"，即南十字座。在全天 88 星座中，南十字座是最小的星座。

　　南天十字架能在南半球和北半球部分地区看到，我国只有南方少数几个地方能看到它。南十字座是南半球最容易辨识的星座。当我们去南半球的国家时会发现南半球的人都很喜欢这个星座：澳大利亚、新西兰、巴布亚新几内亚和萨摩亚的国旗上，都有"南天十字架"的图形。

　　15世纪明代航海家郑和下西洋时，还用南十字座来导航，船队把这个星座称为"灯笼骨星"，它在茫茫夜海上像灯笼一样给人们以希望。在没有先进科技的时代，远航的人永远不知道前路，不能预知危险和机遇，星座指引着方向，默默注视着他们，给予人们冒险的勇气。

　　后来，欧洲的航海家、探险家来到非洲时，也依靠这个南十字座来定位。

了解东方星宿

中国古人很早就开始观测星空，并且已经形成了一套自己的星象体系——三垣四象二十八宿。

在这个星象体系中，最重要的一颗星星就是北极星。因为古人发现，太阳东升西落，一年四季的星星也不同，但有一颗星星始终不变，那就是北极星，也称紫微星。北极星是皇帝的象征，被叫作帝星，围绕北极星的群星被称作紫微垣，是王权的象征。

古人将北极星周围的群星分为三垣，每垣都是一个比较大的天区，内含若干星官，三垣分别是紫微垣、太微垣和天市垣，分别对应着人间的皇宫、政府、集市。

除了三垣，古人还将星星分成二十八宿，从此，三垣二十八宿成为古代星象体系。

二十八宿是我国最早的天文坐标图，行星的运行，彗星、新星、流星的出现，都可以在这个坐标图上标注出来。

二十八宿主要位于黄道区域，分为四大星区，每个星区配上一种动物，分别用"青龙""朱雀""白虎""玄武"四兽命名，即"四象"，代表东南西北四个方向：左青龙（东）、右白虎（西）、前朱雀（南）、后玄武（北）。

　　除了观测记录，星宿在古代还有很多实际的应用。自夏商周三代开始，皇帝都有一个卦卜的巫师、一个占星的星象家。特别是战国时期，各个国家都十分重视天文观测，占星家们测算星辰日月的运行，并以此分四时，定节气，指导农业生产，占卜吉凶福祸，指导行军布阵等。

中国的天文学家

天文学是我国古代最为发达的自然科学之一，在几千年的时间里，涌现了一大批天文学家，他们不再盲目地相信盘古开天辟地、女娲炼石补天的神话传说，而是用自己的双眼和双手探索星空的奥秘。

张衡

石申

东汉时期天文学家张衡认识到太阳运行的一些规律，通过一系列试验，发明了地动仪、候风仪、浑天仪，为地震预测、天象跟踪、气象预报作出了杰出的贡献。

石申，战国时期的天文学家，是中国最伟大的天文学家之一。以他名字命名的《石氏星经》影响千年，成为后世天文学的启蒙书。

祖冲之

郭守敬是元朝的天文学家，他准确地测量出每个节气，制订出通行 360 多年的《授时历》，《授时历》成为当时世界上最先进的一种历法。他还在天文、水利和数学等方面取得了卓越的成就，发明了简仪、高表等 12 种新仪器。为纪念他的突出贡献，国际天文组织将小行星 2012 命名为"郭守敬小行星"。

我们知道祖冲之是一位数学家，他将圆周率的值精确到了小数点后第 7 位，领先世界约 1000 年。同时他也是一位天文学家，编撰了历法，还制造了指南车、千里船等。为了纪念他的突出贡献，国际天文组织把月亮上的一座环形山命名为"祖冲之环形山"，将小行星 1888 命名为"祖冲之行星"。

郭守敬

欧洲的天文学家

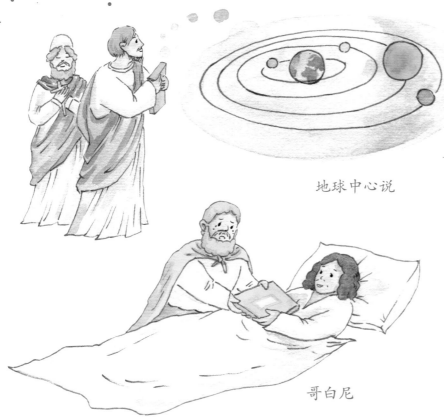

地球中心说

哥白尼

2

直到16世纪，天文学家哥白尼提出了"日心说"，认为地球和其他行星是绕着太阳运转的。但人们对天主教会的"地心说"深信不疑，哥白尼在罗马做了一系列的演讲活动，收效甚微。他不断搜集资料，证明自己的理论，写下了《天体运行论》。直到哥白尼去世的前一天，才收到出版商寄来的作品样书。

3

哥白尼的理论遭到了罗马教廷的反对，但也有支持他的人，布鲁诺便是其中一位追求真理的人。在罗马教皇看来，日心说影响了教廷的权威，所以大力宣扬这一理论的布鲁诺遭到了迫害，被视为"异端"。他一生颠沛流离，最终被烧死在鲜花广场上。

1

约2000年前，欧洲人想象中的宇宙、太阳、月亮，以及其他星星都是围绕地球旋转的。统治欧洲人思想的天主教十分推崇"地球中心说"，此后的1000年也没有人提出过质疑。

布鲁诺

伽利略

4

科学的推进是艰辛曲折的。1590 年，伽利略著名的比萨斜塔实验研究了速度和加速度，重力和自由落体的原理，挑战了人们过往的认知，大大震惊了当时学术界。在天文学方面，伽利略创制了天文望远镜，并用来观测天体，发现了许多前所未知的天文现象，因此他被称为"观测天文学之父"。

开普勒

5

开普勒对光学很有研究。他把伽利略望远镜改良，以便能更好地观测宇宙星空。这种望远镜被称为开普勒望远镜。

虽然伽利略和开普勒先后证明地球不是宇宙的中心，但直到 200 多年后，随着文明和科学的发展，以及天文仪器的改进，人们才普遍接受这种科学的理论。

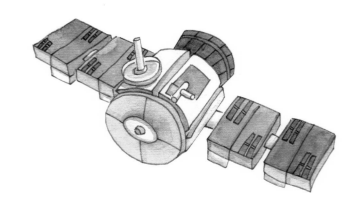

6

随着科学技术的发展，人们发射了更多的飞行器和探测器来探索宇宙，探索星空的道路从未停止。

做 一 个 星 云 瓶

准备材料：带木塞的玻璃瓶、棉花、水、闪光粉和彩色颜料。

在玻璃瓶中加入 1/4 的水，然后滴入一两滴彩色颜料，摇晃混合。

在玻璃瓶中加入闪光粉，摇晃混合。

加入棉花，让棉花充分吸收液体。

不同颜色的颜料会做出不同的星云瓶哦，

小朋友们来试一试吧！

4 反复加水、加棉花、加闪光粉至瓶口处，棉花要保持松软。

5 将另一个颜色的颜料加点水拌匀后，加到瓶子里去。

6 将水装满，盖上木塞，一个漂亮的星云瓶就做好了。